Les dernières heures du *Titanic*

L'auteur : Mary Pope Osborne a écrit plus de quarante livres pour la jeunesse récompensés par de nombreux prix. Elle vit à New York avec son mari, Will, et Bailey, un petit terrier à poils longs. Tous trois aiment retrouver le calme de la nature, dans leur chalet en Pennsylvanie.

L'illustrateur : Philippe Masson, né à Rennes en 1965, est issu d'une famille de marins bretons. Actuellement, il vit à Tours avec son amie et ses deux enfants, Lucas et Mona. Il réalise également les dessins de la série Le château magique aux Éditions Bayard.

Aux parents et aux professeurs qui adorent la série
La Cabane Magique.

Titre original : *Tonight on the Titanic*

Conception et réalisation de la maquette : Isabelle Southgate.
Colorisation de la couverture ; illustrations de l'arbre, de la cabane
et de l'échelle : Paul Siraudeau.

Loi n° 49 956 du 16 juillet 1949
sur les publications destinées à la jeunesse.
Dépôt légal : août 2005 – ISBN : 978 2 7470 1849 4
Imprimé en Allemagne par CPI – Clausen & Bosse

Les dernières heures du *Titanic*

Mary Pope Osborne

Traduit et adapté de l'américain
par Marie-Hélène Delval

Illustré par Philippe Masson

DIXIÈME ÉDITION

bayard jeunesse

Léa

Prénom : Léa

Âge : sept ans

Domicile : près du bois de Belleville

Caractère : espiègle et curieuse

Signes particuliers : ne manque jamais une occasion d'entraîner son frère, Tom, dans des aventures mouvementées, sans se soucier du danger.

Tom

Prénom : Tom

Âge : neuf ans

Domicile : près du bois de Belleville

Caractère : studieux et sérieux

Signes particuliers : aime beaucoup les livres, qui l'aident à se sortir de situations périlleuses.

Les quinze premiers voyages de Tom et Léa

Tom et Léa ont découvert dans le bois de Belleville, perchée en haut d'un chêne, une cabane pleine de livres. C'est une

cabane magique !

Elle appartient à la fée Morgane, une magicienne et une célèbre bibliothécaire qui voyage à travers le temps et l'espace pour rassembler des livres.

Nos deux jeunes héros ont déjà vécu des **aventures extraordinaires** ! Il leur suffit d'ouvrir un livre, de poser le doigt sur une image en souhaitant se trouver à l'endroit représenté, et ils y sont aussitôt transportés !

Au cours de leurs quatre dernières aventures, Tom et Léa ont dû résoudre quatre énigmes pour récupérer leurs cartes MB confisquées par l'enchanteur Merlin.

Les enfants ont croisé un requin !

Ils ont aidé un cow-boy à traquer les voleurs de ses chevaux.

Ils se sont retrouvés face à de redoutables lions.

Souviens-toi...

Ils ont exploré la banquise.

Nouvelle mission :

aider Teddy, le petit chien

qui est victime d'un mauvais sort

Si Tom et Léa réussissent
à se faire offrir quatre cadeaux,
il sera délivré.

Sauront-ils éviter tous les dangers ?

Lis vite les quatre nouveaux
« Cabane Magique » !

★ N° 16 ★
Les dernières heures du *Titanic*

★ N° 17 ★
Sur la piste des Indiens

★ N° 18 ★
Pièges dans la jungle

★ N° 19 ★
Au secours des kangourous

Prêt à suivre Tom et Léa
dans leurs dangereuses aventures ?

Bon voyage !

Coupe du *Titanic*

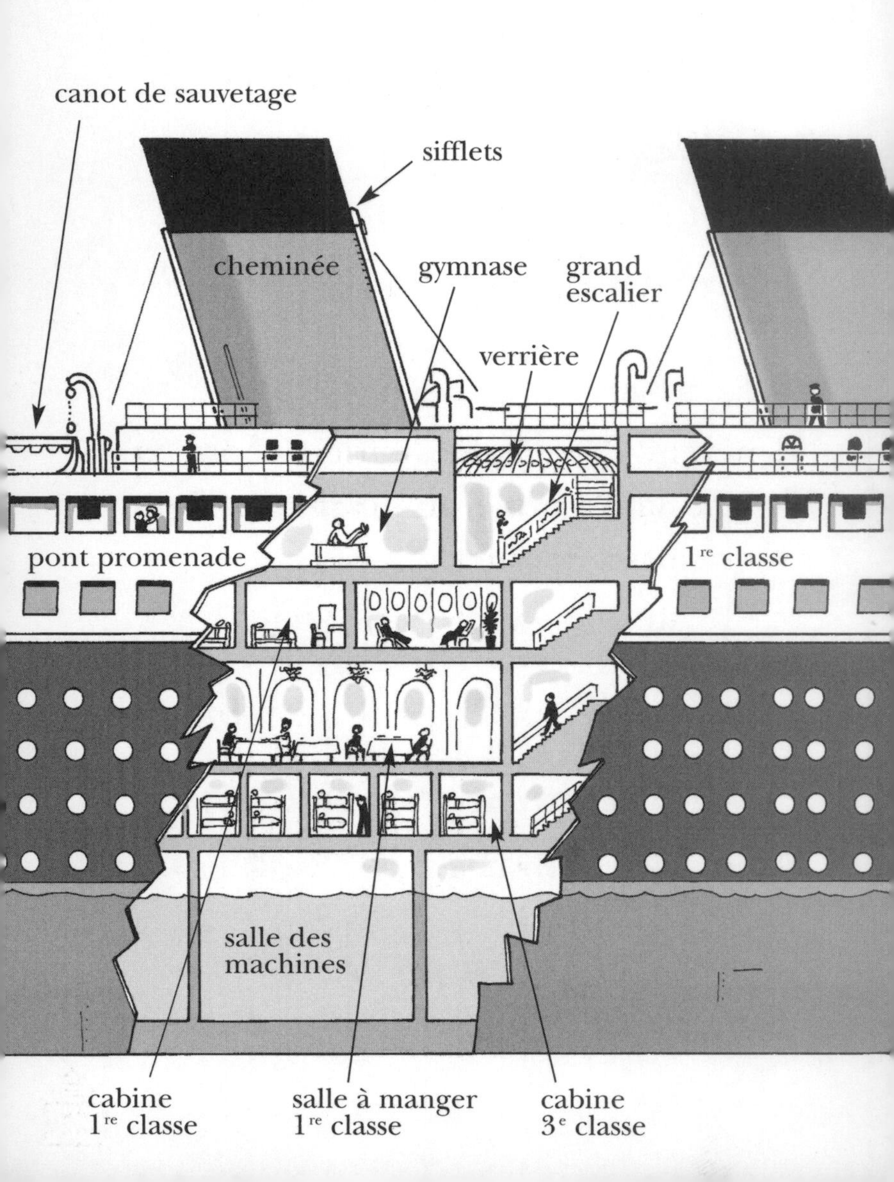

1

Une nouvelle mission

Un vent de tempête hurle dehors, et la pluie tambourine aux carreaux. Tom n'arrive pas à dormir.

– Tu entends ce que dit la pluie ? murmure une voix.

Le garçon allume la lampe et découvre sa sœur, Léa, debout devant la porte.

Elle a mis son poncho imperméable, et elle tient une torche électrique à la main :

– La pluie nous appelle : « Venez vite ! Venez vite ! »

– Tu es complètement folle !

– Je t'assure ! Écoute bien !

Tom tend l'oreille. Léa a raison ! La pluie tapote vraiment ces deux mots : « Venez vite ! Venez vite ! »

– On va à la cabane magique ! décide Léa. Je ne sais pas ce qui se passe, mais ça doit être important.

– Maintenant ?

Tom n'a aucune envie de quitter son lit bien chaud. Pourtant, Léa a sûrement raison. Elle a un don pour sentir ces choses-là.

– Tu viens ? insiste la petite fille.

– Ouais, ouais…!

Tom saute du lit.

Il passe lui aussi un poncho de pluie par-dessus son pyjama. Il enfile des baskets et prend son sac à dos.

– N'oublie pas ta carte de Maître Bibliothécaire ! lui rappelle Léa.

Depuis qu'ils ont récupéré leurs cartes où les lettres « MB » brillent d'un éclat

doré *, Tom garde soigneusement la sienne dans un tiroir. Il la met dans son sac :

– Je suis prêt !

Les enfants descendent les escaliers sur la pointe des pieds. Ils ouvrent la porte et se glissent dehors sans bruit.

La tempête s'est apaisée, mais la pluie tombe toujours. Le faisceau de la torche fait luire le trottoir mouillé.

Les enfants entrent dans le bois. De temps en temps, un coup de vent secoue les branches, qui s'égouttent sur le sol.

– Brrr ! fait Léa. Je suis gelée.

– Moi aussi !

Léa fouille avec sa lampe l'épaisseur des arbres.

– On y est ! dit-elle en éclairant la cabane magique, posée en haut du plus haut chêne.

– Morgane ! appelle Tom.

Personne ne répond.

* Lire le tome 15, *Danger sur la banquise*.

– C'est bizarre, marmonne Léa. J'étais sûre qu'elle nous attendait…

– Montons voir !

Léa empoigne l'échelle de corde et commence à grimper. Tom la suit. Ils pénètrent dans la cabane par la trappe. L'endroit paraît vide.

Soudain, la lumière de la torche éclaire quelque chose. Les enfants poussent un cri de surprise.

Un petit chien est assis dans un coin. C'est un chiot ébouriffé au pelage brun clair, qui fixe les deux arrivants d'un air triste.

– Oh ! souffle Léa.

– Qu'est-ce que tu fais là, toi ? s'étonne Tom.

Léa caresse la tête de l'animal, qui remue la queue :

– Qu'il est mignon ! On dirait un ours en peluche ! Bonjour, Teddy !

« Ce nom lui va parfaitement ! » pense Tom. Il demande :

– D'où viens-tu, Teddy ?

Le chiot gémit.

– Ne pleure pas, le rassure Léa. On est là, tout va bien !

– Comment a-t-il fait pour grimper jusqu'ici ? s'interroge Tom.

– Je n'en sais rien. Mais je suis sûre que Morgane y est pour quelque chose.

– Tu as raison ! s'exclame son frère.

Il vient de remarquer une feuille de papier posée sur le plancher. Il la ramasse.

Elle est couverte d'une curieuse écriture d'autrefois :

Ce petit chien est victime d'un sort.
À vous de l'aider !
Si on vous offre quatre cadeaux,
il sera délivré.
Le premier cadeau voyage sur un paquebot.
Le deuxième viendra des grandes plaines,
le troisième d'une forêt lointaine.
Et qui vous offrira le quatrième ?
Un kangourou !
Soyez prudents, avisés, courageux et…
un peu fous !

Morgane

PS. Vous n'aurez pas besoin d'utiliser vos cartes de Maîtres Bibliothécaires au cours de cette mission. Mais ne les perdez pas !

– Un sort ? Quel genre de sort ? s'inquiète Léa.

– Comment savoir ?

– Pauvre Teddy ! compatit la petite fille en tapotant la tête du chiot.

Celui-ci lui lèche la main.

– On va devoir partir dans quatre endroits différents, dit Tom.

Teddy trottine vers un livre et le pousse du museau.

– Regarde ! s'écrie Léa. Je parie que celui-ci nous indique notre première destination !

Bravo, Teddy !

Le titre de l'ouvrage est : *Un magnifique paquebot.*

– En route ! se réjouit Tom. Le premier cadeau nous attend sur ce bateau !

– Prêt pour le départ, Teddy ? fait Léa.

– Ouaf ! Ouaf !

Tom pose son doigt sur l'image de couverture, qui représente un superbe navire tout illuminé, voguant dans la nuit.

Il ferme les yeux et prononce la phrase magique :

– Nous voulons être emportés là !

Aussitôt, le vent se met à souffler, la cabane à tourner. Elle tourne plus vite, de plus en plus vite.

Puis tout s'arrête, tout se tait.

Le plus grand navire du monde

– Ouaf ! Ouaf !

Tom rouvre les yeux et frissonne. Il fait froid là où ils sont arrivés. Très froid !

Teddy aboie encore.

– Chut ! fait Tom.

Léa promène le faisceau de la torche sur ses vêtements :

– Super ! On est habillés à la mode d'autrefois !

En effet, à la place de son poncho et de son pyjama, elle porte une robe bouffante et un manteau de laine garni d'une pèlerine ;

ses baskets se sont transformées en élégantes bottines, et ses cheveux sont retenus par un ruban de velours.

Tom est vêtu d'un manteau à large col passé sur une chemise rayée, une cravate et un gilet. Son pantalon court est resserré sous les genoux, et il a de longues chaussettes. Son sac à dos est devenu une besace de cuir.

Les enfants ont l'habitude : lorsqu'ils voyagent par magie, Morgane les habille souvent dans le style du pays ou de l'époque où ils sont transportés !

– Où sommes-nous ? lâche Tom.

Tous deux regardent par la fenêtre et découvrent un grand ciel plein d'étoiles. L'eau clapote quelque part, un vent léger leur caresse le visage.

La cabane magique s'est posée sur un plancher de bois, près de ce qui ressemble à une gigantesque colonne.

En se penchant, Tom voit qu'une épaisse fumée monte de son sommet.

– On est sur le bateau, dit-il. Au pied d'une grande cheminée.

Un peu plus loin, il aperçoit une sorte de nacelle accrochée à un mât, qui domine la mer.

– Et là-haut, fait-il remarquer, c'est le poste de guet, pour la vigie.

– C'est quoi, une vigie ?

– C'est le marin qui observe la mer.

Tom s'assied sur le sol de la cabane et feuillette le livre.

Léa l'éclaire avec la torche, et il lit :

La nuit du 14 avril 1912,
un paquebot anglais
vogue vers New York.
C'est son premier voyage.
Ce navire est le plus grand et le plus
luxueux encore jamais construit.
Il transporte 2 200 personnes,
passagers et membres d'équipage.
Et, surtout, il est réputé insubmersible,
c'est-à-dire qu'il ne peut pas couler.

– Tu te rends compte, dit Tom, on est en 1912 !

Il sort son carnet pour noter :

14 avril 1912

– Il est énorme, ce bateau, constate Léa. Comment allons-nous y trouver notre cadeau pour libérer Teddy ?

– Un cadeau, ça ne se cherche pas. Quelqu'un te l'offre.

– C'est vrai, soupire Léa. Eh bien, espérons qu'on aura la chance de rencontrer ce quelqu'un !

Le chiot pousse un petit cri plaintif.

– Ne t'en fais pas, Teddy, lui dit la petite fille. On va te délivrer, tu verras !

À cet instant, la cloche d'alarme se met à sonner, et la voix de la vigie retentit :

– Iceberg, droit devant !

Tom et Léa courent à la fenêtre de la

cabane, juste à temps pour apercevoir le haut d'un énorme bloc de glace qui semble avancer sur eux à toute vitesse.

Il y a un choc violent, suivi d'un long craquement, tandis que l'iceberg heurte la coque d'acier du navire.

– Ouaf ! Ouaf ! jappe Teddy, affolé.

– Allons, allons, n'aie pas peur, dit Léa en prenant le petit chien dans ses bras.

Le bruit de raclement cesse. Le bâtiment dépasse l'iceberg, qui disparaît dans la nuit.

– Tu vois ? On s'est juste un peu cognés. Et ce bateau ne peut pas couler ! Allez, viens, Teddy ! On va à la recherche de notre cadeau.

Tom, cependant, reste inquiet :

– Attends ! Je veux d'abord en lire un peu plus.

– Pas la peine !

Léa prend la torche et, sans lâcher le chien, elle enjambe la fenêtre de la cabane.

– Hé ! J'ai besoin de lumière ! proteste son frère.

Mais Léa est déjà partie.

– Léa !

Tom fourre le livre dans le sac, passe la bandoulière à son épaule et court derrière sa sœur. Celle-ci a déjà disparu dans un escalier qui mène à l'étage du dessous.

Quand son frère arrive à son tour en bas des marches, elle est debout près du bastingage, Teddy sous son bras. Elle se tourne vers Tom et déclare :

– J'ai une mauvaise nouvelle. Viens voir !

Elle dirige le faisceau de la lampe sur la coque d'un canot de sauvetage.

Un seul mot y est écrit en grosses lettres noires : TITANIC.

3

SOS !

Tom pâlit. Il fixe le nom du bateau sans rien dire. Puis il murmure :

– Tu sais ce qui est arrivé au *Titanic* ?

Léa hoche la tête :

– Il a heurté un iceberg et il a coulé. Mais, alors, pourquoi disait-on qu'il était insur… heu, insubmersible ?

– C'est ce que croyaient ceux qui l'ont construit. Ils se trompaient.

Soudain, un nuage de vapeur sort par les cheminées, le ronronnement des moteurs se tait. Le *Titanic* s'immobilise.

– On ferait mieux de repartir tout de suite, dit Tom. On trouvera bien un autre bateau quelque part.

– Non ! Restons, et essayons d'aider les gens ! Nous, on s'échappera quand on voudra, grâce à la cabane.

– Mais qu'est-ce qu'on peut faire ? Ce bateau va couler, de toute façon. On ne change pas l'histoire, c'est impossible ! Et c'est impossible aussi d'emmener quelqu'un avec nous dans notre époque !

– On peut sûrement aider quand même !

– Comment ?

– Je ne sais pas, on verra bien. Allons explorer le navire !

Léa pose le chien et s'avance sur le pont. Tom la suit en soupirant. Teddy se met à renifler les morceaux de glace tombés un peu partout.

Le navire semble bizarrement vide.

– Il y a quelqu'un ? lance Léa.

Les enfants courent vers l'avant, le chiot sur leurs talons. Par une fenêtre, ils aperçoivent des appareils de musculation.

– Il y a même une salle de sport, sur ce bateau ! fait remarquer Tom.

Un peu plus loin, derrière une autre fenêtre, il découvre un homme, des écouteurs sur les oreilles, qui tapote sur un petit levier métallique.

– Qu'est-ce qu'il fait ? chuchote Léa.

Tom hausse les épaules :

– Je ne sais pas. Éclaire-moi, s'il te plaît !

Il feuillette le livre, et trouve une image représentant l'intérieur du poste de commandement. Il lit à haute voix :

**Le *Titanic* était à la pointe du progrès.
Il était équipé d'un dispositif
de télégraphie sans fil
de grande puissance.**

– Ah ! fait Tom. C'est l'opérateur radio !

Un deuxième homme s'approche, un barbu vêtu d'un bel uniforme. Il s'adresse à l'homme aux écouteurs :

– Envoyez l'appel au secours international ! Que tous les bâtiments naviguant à proximité viennent au plus vite, nous coulons !

– Oui, capitaine, répond l'opérateur.

WHITE STAR.

– Ouf ! se réjouit Léa. Les secours vont arriver.

Tom secoue la tête :

– Ils ne viendront jamais.

Il se remet à lire :

Le *Titanic* a heurté un iceberg à 23h40. L'opérateur radio a alors lancé un SOS. C'est un signal de détresse international en morse, un alphabet codé fait de points et de traits. Malheureusement, le navire le plus proche avait débranché sa radio pour la nuit. Et ceux qui ont reçu le message étaient trop loin pour arriver à temps. Lorsque le *Titanic* a sombré, vers 2h20 du matin, il était seul au milieu de la mer.

– C'est terrible ! souffle Léa.

– Je me demande quelle heure il est…, murmure Tom.

Il ouvre son carnet et note :

SOS envoyé.
Le Titanic va couler
à 2h20

– Attention ! le prévient sa sœur. Le capitaine !

Les enfants se cachent vivement dans un coin d'ombre. Le capitaine sort sur le pont et ordonne à un matelot :

– Faites préparer les canots de sauvetage !

– Oui, capitaine !

Les deux hommes s'éloignent. Léa se tourne vers son frère et chuchote :

– Bon, les passagers pourront au moins embarquer sur les canots !

– Je crois qu'il n'y en a pas assez, dit Tom.

Il se plonge de nouveau dans le livre :

Le *Titanic* était équipé de vingt canots de sauvetage. Il en aurait fallu deux fois plus. Et, à cause de la panique, beaucoup de canots sont partis avant d'être pleins. Plus de la moitié des passagers de première et de deuxième classe ont été sauvés. C'étaient des gens riches, voyageant pour leur plaisir ou pour leurs affaires. Les passagers de troisième classe, des familles

pauvres qui émigraient en Amérique, étaient installés au niveau le plus bas. La plupart n'ont pas eu le temps de rejoindre le pont supérieur, où se tenaient les embarcations.

Tom griffonne dans son carnet :

Pas assez de canots

– Hé ! s'exclame Léa. Si on aidait quelques personnes à arriver aux canots ?

– Bonne idée ! Le livre va nous indiquer comment descendre tout en bas.

Il tourne une page et découvre un plan du navire. Tom suit l'itinéraire du doigt :

– On part du grand escalier. Puis on descend par là, jusqu'aux cabines de troisième classe.

Il referme le livre et jette un dernier coup d'œil vers le poste de commandement. L'opérateur radio continue de taper son message en morse, trois traits, trois points, trois traits : Ta ta ta ti ti ti ta ta ta

– Ça veut dire : SOS, murmure Tom.

Il prend une grande inspiration et décide :

– On y va !

4

Enfilez les gilets de sauvetage !

Les enfants se glissent par une porte, le chien sur leurs talons. Les voilà au sommet d'un immense escalier, désert à cette heure nocturne.

Il est en bois sombre et luisant, magnifiquement décoré ; un vaste dôme de verre le domine. Au mur, les aiguilles d'une pendule tarabiscotée marquent minuit vingt.

– Déjà ! s'effraie Tom. Le bateau coule dans deux heures !

Ils dévalent les marches recouvertes d'un

somptueux tapis, et traversent le hall des premières classes.

Tom consulte le plan :

– La salle à manger est de ce côté. Donc, ces escaliers-là doivent descendre vers le

pont de promenade des troisièmes classes.

– Regarde ! lui fait remarquer Léa. Le plancher s'incline.

C'est vrai ! Tom souffle :

– L'avant du bateau s'enfonce déjà.

À cet instant, un steward en uniforme blanc, chargé du service des premières classes, apparaît au fond d'un corridor. Il frappe aux portes.

– Veuillez enfiler vos gilets de sauvetage et monter immédiatement sur le pont supérieur ! ordonne-t-il.

Des passagers ensommeillés sortent de leurs cabines. Ils portent d'élégants vêtements de nuit, des robes de chambre en velours bordé de satin.

– Que se passe-t-il ? demande une femme, inquiète.

– Nous venons d'avoir un accident, explique le steward.

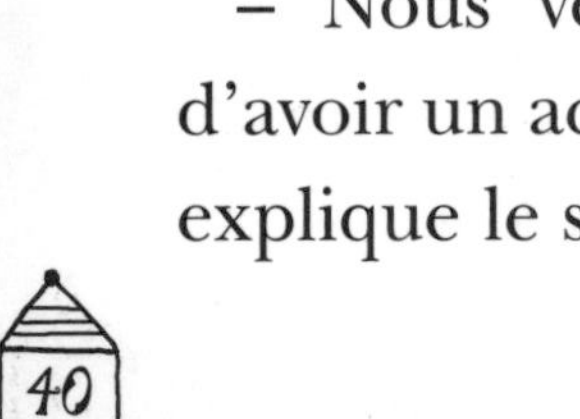

– Oh ! fait la femme d'un ton pincé. Un accident ? C'est impossible !

– Si, c'est possible ! lui crie Léa. Faites ce qu'il vous dit !

– Ouaf ! Ouaf ! approuve Teddy.

– Chut ! le gronde doucement Tom en le prenant dans ses bras.

Léa et lui s'élancent dans l'escalier et dévalent les marches.

Ils arrivent enfin sur le pont des troisièmes classes.

Beaucoup de gens y sont rassemblés. Ceux-là sont habillés de simples vêtements de laine ou de coton. Ils n'ont pas du tout l'air inquiet, ils rient, lancent des plaisanteries.

Tom et Léa se faufilent dans la foule, entrent dans une salle enfumée. Des hommes jouent aux cartes, une femme assise au piano fait danser des jeunes couples au son d'une musique entraînante.

– Enfilez vos gilets de sauvetage, et montez tout de suite sur le pont supérieur ! leur lance Léa.

Les gens la dévisagent, étonnés. Les joueurs de cartes lui sourient.

Elle s'apprête à répéter, mais Tom la tire hors de la pièce :

– Ils ne t'écouteront pas. Viens ! Il faut gagner les cabines avant qu'il ne soit trop tard !

Ils traversent un autre hall, descendent d'autres escaliers. Tom porte toujours Teddy.

En bas des marches, ils arrivent dans un corridor et poussent un cri : le plancher est vraiment incliné, maintenant !

– Le *Titanic* est en train de sombrer ! gémit Tom en enfouissant son visage dans la chaude fourrure de Teddy.

Jamais il ne s'est senti aussi triste !

– Et personne ne veut le croire ! se désole Léa.

Puis elle s'exclame :

– Dépêchons-nous !

Elle commence à tambouriner aux portes et, comme personne ne répond, elle les

ouvre l'une après l'autre. Les cabines sont vides !

– Ce sont sûrement celles des passagers qu'on a vus rire et danser dans la salle au-dessus, suppose Tom. D'après le plan, il y a plusieurs étages de cabines. Descendons encore !

Il se dirige vers l'escalier, mais Teddy se met à aboyer furieusement.

– Qu'est-ce qu'il lui prend ?

– Je ne sais pas ! dit Léa.

Brusquement, le chien se tortille ; il échappe à Tom, saute à terre et galope le long du corridor.

– Teddy ! l'appelle Tom. Où vas-tu ?

Les deux enfants se lancent à ses trousses.

Le chien s'arrête devant une porte, il jappe, il gratte le bois. La porte s'entrouvre, et un petit garçon apparaît.

5

William et Lucy

L'enfant est en chemise de nuit. Il a des cheveux roux et des taches de rousseur sur les joues. Il doit avoir dans les quatre ans. Il se frotte les yeux d'un air endormi.

Puis il voit Teddy, et son visage s'éclaire d'un large sourire.

– Petit chien ! s'écrie-t-il.

Il s'accroupit et l'entoure de ses bras. Teddy lui lèche la figure.

– Reviens te recoucher, William ! lui ordonne une voix depuis le fond de la cabine.

– Sortez vite ! lance Léa. C'est très urgent !

Quelques secondes plus tard, la porte s'ouvre en grand.

Une fille de douze ou treize ans, vêtue d'une longue chemise de nuit blanche, regarde Tom et Léa d'un air étonné.

– Bonjour ! dit-elle. Je m'appelle Lucy O'Malley, et voici mon petit frère, William.

– Moi, je suis Léa. Tom est mon frère. Réveille tes parents ! Il faut que vous veniez avec nous tout de suite !

Lucy ouvre de grands yeux :

– Nos parents sont à New York. Nous allons les rejoindre.

– Écoute, dit Tom. Le *Titanic* a heurté un iceberg.

– On va vous conduire aux canots de sauvetage ! ajoute Léa.

– Mais… pourquoi ? Je ne comprends pas.

– Parce que le navire est en train de couler. Regarde !

Léa désigne du doigt l'eau qui envahit lentement le corridor.

– Oh, non ! s'effraie Lucy.

– N'aie pas peur, la rassure Tom. Prenez vos manteaux, et passez vos gilets de sauvetage ! Il faut se dépêcher.

Lucy hoche la tête. Elle rentre dans la cabine et en ressort aussitôt avec quelques affaires. Elle enfile son manteau, passe le gilet par-dessus.

Léa aide William à faire de même.

– Allons-y ! dit Tom.

– Attends ! l'arrête Léa. Teddy tiendrait-il dans ta sacoche ?

– On peut essayer.

Léa fourre le petit chien dans le sac de cuir. Seules sa tête et ses pattes de devant dépassent.

– Ne bouge surtout pas ! lui recommande Léa en lui posant un petit baiser sur le museau.

Tom glisse la lanière de la sacoche sur son épaule. Le chiot ne pèse presque rien.

– Vite, on remonte !

– Une seconde ! dit Lucy. J'ai oublié quelque chose.

– On n'a pas le temps ! proteste Léa.

Mais Lucy retourne vivement dans la cabine. Quand elle ressort, Tom la voit mettre quelque chose dans la poche de son manteau, avant de prendre William par la main.

– Vite ! les presse Tom.

À cet instant, il sent du froid autour de ses chevilles : l'eau a envahi tout le corridor.

– Ouaf ! Ouaf ! aboie Teddy.

– Courons ! crie Léa.

6 Les femmes et les enfants d'abord !

Léa attrape l'autre main de William et s'élance vers l'escalier. Ils sont à peine à mi-hauteur quand Teddy pousse un jappement effrayé. Tom se retourne. L'eau monte derrière eux en léchant les marches l'une après l'autre.

– Ne t'arrête pas, Tom ! supplie sa sœur.

Ils arrivent à l'étage du dessus. Les joueurs de cartes sont toujours rassemblés dans la salle enfumée.

– Ne restez pas là ! hurle Léa. Rejoignez les canots, vite !

Les hommes se contentent de rire.

– Pas de panique, jeune demoiselle ! la taquine l'un d'eux. Même si ce bateau pouvait couler, ça lui prendrait bien toute la nuit ! On a le temps de finir notre partie !

– Sûr ! renchérit un autre. Et d'autres navires viendraient à la rescousse !

– Mais je vous assure que…

– Ils ont raison, l'interrompt Lucy. Inutile de s'affoler ! Nous ne sommes sûrement pas en danger à ce point !

– Oh si, vous l'êtes, croyez-moi ! insiste Tom. Viens, je t'en prie !

Ils débouchent sur le pont de troisième classe. Une foule y est rassemblée maintenant. Les passagers portent tous leurs gilets de sauvetage, mais personne ne semble inquiet. Les gens font les cent pas en bavardant tranquillement.

Tom et Léa entraînent Lucy et William. Enfin, ils arrivent au bas du grand escalier.

Ils grimpent en hâte vers le pont supérieur.

Celui de première classe est illuminé comme un sapin de Noël. L'orchestre du *Titanic* joue de la musique classique, pour rassurer les passagers.

Une fusée de détresse s'élève en sifflant et explose en étincelles colorées dans le ciel nocturne. Le petit William bat des mains :

– Un feu d'artifice !

Lucy regarde Léa avec un grand sourire :

– Alors, vous nous avez joué un tour ? Il y a une fête, c'est ça ?

– Non, Lucy, la détrompe Tom. Ce n'est pas une fête ! Le bateau coule, ça fait dix fois que je te le répète ! Tu n'as pas vu l'eau, en bas ?

Au même instant, un appel résonne :

– Les femmes et les enfants d'abord !

Le sourire de la jeune fille s'évanouit aussitôt.

– Venez, tous les deux ! ordonne Léa avec autorité.

Et elle pousse Lucy et William vers un canot.

7

Le premier cadeau

Le canot, suspendu à ses câbles, est prêt à être descendu. Il a l'air minuscule, contre la coque de l'énorme navire.

Tout en bas, la mer est noire comme de l'encre.

– Montez ! Montez ! ordonne un marin en uniforme.

– Non ! Non ! gémit William en se cachant dans la robe de sa sœur. Je ne veux pas y aller ! J'ai peur !

Lucy secoue la tête :

– Je crois que je préfère attendre ici…

Tom les comprend : le *Titanic* paraît si solide, comparé à la frêle embarcation !

– Lucy, dit-il doucement, William et toi, vous êtes en grand danger. C'est la vérité.

La jeune fille continue de secouer la tête, des larmes plein les yeux.

– Sois courageuse ! insiste Léa. Pense à ton petit frère ! Pense à tes parents qui vous attendent !

Lucy s'efforce de sourire :

– D'accord !

– Ho, vous quatre ! les interpelle l'homme d'équipage. Par ici, les enfants !

– Allez-y ! dit Tom.

Et il pousse Lucy et William vers le canot.

– Au revoir, Lucy ! Au revoir, William ! lance Léa.

Lucy lui jette un regard étonné :

– Mais… vous ne venez pas ?

– Non ! Il y a… euh… une autre embarcation qui nous attend.

– Mon Dieu ! J'espère que vous arriverez chez vous sains et saufs !

– Pas de problème ! lui assure Tom. Ne t'inquiète pas pour nous !

Lucy sort alors de sa poche un objet brillant, suspendu au bout d'une chaîne :

– C'est la montre de mon père. Il nous l'avait laissée pour qu'elle nous porte chance pendant notre voyage. Et notre chance, c'est de vous avoir rencontrés, cette nuit ! Tenez, prenez-la ! Je vous en fais cadeau.

Elle passe la chaîne au cou de Léa. La montre indique : 1h50.

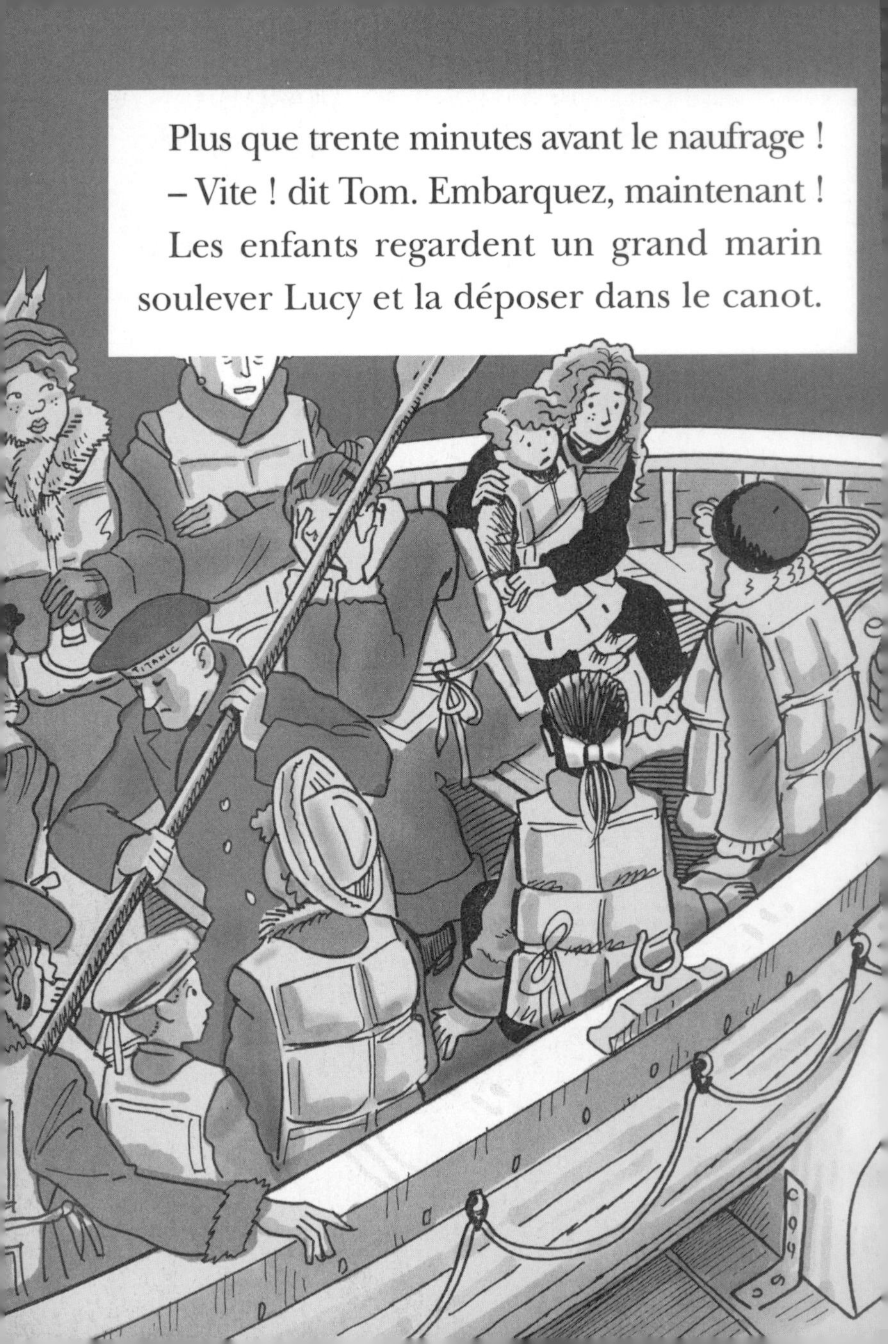

Plus que trente minutes avant le naufrage !
– Vite ! dit Tom. Embarquez, maintenant !
Les enfants regardent un grand marin soulever Lucy et la déposer dans le canot.

Puis il installe William sur les genoux de sa sœur.

– Au revoir ! crie Léa. Et merci pour le cadeau !

À cet instant, l'homme s'approche et l'empoigne fermement.

– Non ! hurle-t-elle. Non ! Lâchez-moi !

Trop tard ! La voilà dans le canot !

Le marin se tourne vers Tom, qui s'écarte juste à temps.

– Léa ! crie-t-il. Sors de là !

La petite fille se débat, tandis que les autres passagers essaient de la retenir :

– Laissez-moi partir !

– Ouaf ! Ouaf !

Teddy jappe comme un fou, la tête hors du sac.

Les câbles grincent, le canot oscille et commence à descendre vers la surface noire de la mer.

– Léa ! se désespère Tom. Reviens !

Rien à faire. Le canot descend toujours.

Une voix affolée résonne alors sur le pont :

– Attendez-moi !

8

Chacun pour soi !

Une femme vêtue d'un somptueux manteau de fourrure court vers le bastingage et se penche si fort qu'elle manque de basculer par-dessus bord.

– Stop ! ordonne l'homme en uniforme. Ramenez le canot pour Lady Blackwell !

Lentement, l'embarcation remonte. Tom tend les mains et aide Léa à sauter sur le pont.

– Une place pour vous, madame ! crie la petite fille à la lady.

Et les deux enfants se sauvent en vitesse.

Quand ils sont sûrs que le marin ne les rattrapera pas, ils se penchent par-dessus le bastingage. Ils aperçoivent le canot qui emporte Lucy et le petit William. Ces enfants-là reverront leurs parents qui les attendent à New York.

Le canot se pose sur l'eau sombre et disparaît peu à peu dans la nuit.

Léa agite la main :

– Au revoir, William ! Au revoir, Lucy ! Merci pour le cadeau !

Elle regarde la montre à son cou. Il est deux heures cinq du matin.

– Plus qu'un quart d'heure ! souffle Léa.

– Retournons à la cabane tout de suite, dit Tom. Il faut retrouver l'escalier qui mène à la base des cheminées.

Brusquement, l'avant du *Titanic* s'incline. Les chaises longues glissent sur le plancher. Quelque part à l'étage des premières classes, l'orchestre se met à jouer un cantique : « Plus près de toi, mon Dieu… »

Partout, c'est la panique. Les gens se bousculent pour remonter vers l'arrière du navire.

Les marins courent comme tout le monde.

Tom et Léa se fraient un chemin entre les passagers affolés, les tables et les chaises qui valdinguent. Ouf, voilà enfin l'escalier !

Ils grimpent à toute vitesse en s'accrochant à la rampe. Le bateau s'incline de plus en plus. Des hurlements d'effroi montent de tous côtés.

– C'est là-bas ! crie Tom. Au pied de la première cheminée !

Ils glissent, tombent, n'arrivent plus à se relever. Ils sont obligés de ramper. Quand ils atteignent enfin la cheminée, ils regardent de tous côtés... Oh, non ! C'est impossible !

La cabane magique n'est plus là !

9

Le naufrage

– La cabane ! gémit Léa. Où est la cabane ?

La proue du *Titanic* s'enfonce de plus en plus. Tom et Léa s'accrochent à une rambarde pour ne pas dévaler la pente comme un toboggan.

– Elle est peut-être tombée dans la mer ? s'affole Tom.

Une sorte de rugissement monte du grand navire en train de sombrer.

Tom se représente le mobilier qui craque, les piles d'assiettes qui se brisent, le dôme

de verre du grand escalier qui éclate.

Une énorme vague balaie le pont inférieur. Tom ferme les yeux, s'attendant à être bientôt emporté.

– Ouaf ! Ouaf !

– Teddy !

Tom rouvre les yeux. Dans la panique, il avait oublié le petit chien !

Il regarde dans le sac : Teddy n'y est plus !

Les aboiements retentissent de nouveau.

– Il nous appelle ! s'exclame Léa.

– On ne peut pas aller le chercher, on risque de tomber à l'eau !

Teddy aboie toujours.

– On dirait qu'il n'est pas loin.

En s'agrippant à la rambarde, Léa descend prudemment la pente raide que forme maintenant le plancher.

Tout à coup, les lumières s'éteignent. Tom n'y voit plus rien. L'obscurité est totale. Il hurle :

– LÉA !

Il essaie de descendre, lui aussi. Mais le bateau s'incline encore. Tom lâche prise, glisse à une vitesse folle et s'écrase sur une paroi de bois.

Il entend tout près la voix de sa sœur :

– Tom ! Je suis là !

Teddy aboie.

Le navire s'incline toujours. L'avant plonge dans la mer, l'arrière se dresse au-dessus de l'eau. Tom tâtonne dans le noir.

C'est la cabane ! Elle est renversée sur le côté, et coincée contre la rambarde.

Léa et Teddy ont réussi à se glisser par la fenêtre. Tom tend une main, Léa l'attrape. Elle tire son frère à l'intérieur. Tom sent Teddy lui lécher la figure.

– Nous souhaitons rentrer à la maison ! crie Léa.

Les enfants ont juste le temps d'entendre un craquement épouvantable.

Déjà le vent se met à souffler, la cabane à tourner. Elle tourne plus vite, de plus en plus vite.

Puis tout s'arrête, tout se tait.

10

Le cadeau du Titanic

– Ouf ! lâche Tom.

Il est assis sur le plancher de la cabane, vêtu de nouveau de son pyjama et de son poncho imperméable. Il fait nuit.

– Ça va ? demande Léa.

– Oui, et toi ?

– Mon cœur n'a jamais battu aussi vite !

– Le mien non plus ! lui assure Tom.

Il revoit le *Titanic* sombrant dans les flots glacés. Les larmes lui montent aux yeux :

– C'était terrible !

Léa hoche la tête en silence, et Tom voit qu'elle pleure, elle aussi.

Teddy gémit. Léa le prend dans ses bras et caresse sa petite tête ébouriffée :

– Pauvre petit chien ensorcelé !

– En tout cas, il nous a sauvé la vie, dit Tom en s'asseyant.

– Et nous avons rapporté le premier cadeau pour briser le mauvais sort !

Elle allume sa torche et éclaire la montre en argent accrochée à son cou :

– Le cadeau de Lucy…, murmure-t-elle.

La montre marque 2h20.

Les enfants se regardent en silence.

– L'heure où le temps s'est arrêté pour le *Titanic*, soupire enfin Tom.

Léa ôte la chaîne de son cou et va poser la montre sur la feuille laissée par Morgane.

– Un cadeau qui voyageait sur un paquebot, dit-elle doucement.

Tom enlève ses lunettes pour s'essuyer les yeux. Puis tous deux se relèvent.

– On rentre ? propose Léa. Remettons Teddy dans ton sac à dos, et emmenons-le à la maison !

Elle balaie la cabane avec le faisceau de la torche :

– Teddy ?

Elle ne voit pas trace du petit chien.

– Tom ! Il n'est plus là !

– Qu'est-ce que tu racontes ? On vient juste de le poser par terre !

– C'est sans doute à cause du mauvais sort, soupire Léa.

– Qu'est-ce qui a bien pu lui arriver ?

– Je n'en sais rien. Mais j'ai le sentiment qu'on le reverra bientôt !

Les enfants redescendent par l'échelle de corde. Arrivé en bas, Tom lève les yeux vers la cabane. Il appelle une dernière fois :

– Teddy ?

Pas de réponse.

Sans un mot, les enfants se prennent par la main et suivent le sentier qui sort du bois.

Il ne pleut plus ; les arbres s'égouttent avec de gros « ploc ». Des étoiles brillent entre les feuilles.

Tom et Léa quittent le bois, longent la rue, traversent la pelouse de leur jardin, montent les marches du porche.

Avant de rentrer, ils contemplent un instant le ciel nocturne.

– Le *Titanic* est au fond de la mer depuis presque un siècle, dit Tom. Pourtant, tout le monde s'en souvient. C'est une histoire vraie qui est devenue une sorte de légende.

– Oui, fait Léa. Et les légendes, chaque fois qu'on les raconte, on espère qu'on pourra changer la fin.

Tom secoue la tête. Personne ne changera jamais la fin de l'histoire du *Titanic*. Mais lui, il gardera toujours le grand bateau dans sa mémoire.

À suivre

Découvre vite la suite
des aventures de Tom et Léa dans
Sur la piste des Indiens.

La cabane magique 
propulse
Tom et Léa
vers les Grandes
Plaines d'Amérique

★ 3 ★

Un guerrier Lakota

En bas de la butte, des tentes sont dressées en cercle. Des hommes et des femmes en vêtements de peau s'activent tout autour. Des chevaux et des poneys paissent non loin de là.

– De vrais tipis indiens ! s'exclame Tom, émerveillé.

Il sort le livre de son sac et le feuillette jusqu'à ce qu'il trouve l'image qui correspond. Il lit :

Au début du dix-neuvième siècle,
de nombreuses tribus indiennes
peuplaient les Grandes Plaines.
À l'ouest vivait celle des Lakotas.

Tom note tout de suite dans son carnet :

Les Lakotas à l'ouest

Soudain, le hennissement d'un cheval retentit derrière eux. Les enfants se retournent.

Comme le soleil les éblouit, ils ne distinguent qu'une silhouette noire, celle d'un cavalier qui se dirige vers le campement au petit trot. Tom plisse les yeux. Il lui semble bien que ce cavalier porte un arc à l'épaule.

Il cherche vite une image dans le livre. Il trouve bientôt celle d'un homme à cheval, équipé d'un arc et d'un carquois.

La légende dit : UN GUERRIER LAKOTA. Tom lit le texte qui l'accompagne :

Lorsque les premiers Blancs se sont installés dans les Grandes Plaines, vers la moitié du dix-neuvième siècle, les choses ont beaucoup changé pour les Indiens d'Amérique.
Des batailles éclataient sans cesse entre eux et les soldats blancs. À la fin du siècle, les Lakotas avaient perdu leurs terres. Plus jamais ils ne pourraient vivre comme avant.

★ ★ ★ EXTRAIT ★ ★ ★

En relevant la tête, Tom voit que le guerrier n'est plus très loin. Il souffle :

– Couche-toi, Léa !

– Pourquoi ?

– On est peut-être au temps où les Indiens se battaient contre les Blancs.

Tous deux s'aplatissent sur le sol. Ils entendent le froissement des grandes herbes au passage du cavalier. Le cheval hennit de nouveau.

Ouaf ! Ouaf ! aboie Teddy.

– Chut ! fait Tom.

Trop tard ! L'homme a entendu. Il se lance au galop et saisit son arc. Tom se redresse d'un bond et agite les bras :

– Arrêtez ! Nous venons en paix !

Que veut le guerrier Lakota ?

Tom et Léa auront-ils la vie sauve ?

★ ★ ★ ★ ★ ★ ★ ★ ★ ★

Si tu as envie de nous donner
tes impressions sur la série
ou nous parler de tes propres voyages,
réels ou imaginaires,
n'hésite pas à nous écrire !

N'oublie pas d'écrire
ton nom et ton adresse sur la lettre !